Cari amici rodit
benvenuti nel mo

Geronimo Stilton

i misteri di
FICCANASO SQUITT

Geronimo Stilton

LO STRANO CASO DELLA PANTEGANA PUZZONA

PIEMME
Junior

Io sono Stilton, Geronimo Stilton...
Geronimo Stilton
Io dirigo il più famoso giornale dell'Isola dei Topi, l'Eco del Roditore, ma la mia vera passione è scrivere. I miei libri sono tutti bestseller!
Uhm...
Segni particolari: gioco a golf. Collezione croste di parmigiano del Settecento.
Eco del Roditore
Eco del Roditore
qui lavoro io!
Noi due siamo amici fin dai tempi dell'asilo...

... e lui è Squitt, Ficcanaso Squitt!

Lui è investigatore, dirige l'Agenzia SQUITT: adora ficcare il muso nei fatti altrui! Mi fa sempre un sacco di scherzi...

Segni particolari:
è goloso di banane.
Indossa sempre un impermeabile giallo.

AGENZIA SQUITT

Sospetti...
Qualcosa?
Un consiglio: rivolgiti a me...
Investigo io!
Ti risolverò tutti i problemi...
Tutti i misteri... (o quasi!)

... finché ci siamo laureati insieme all'università!

Agenzia SQUITT si trova nella zona del porto di Topazia!

Insieme investighiamo su strani, misteriosi casi
che si svolgono proprio qui...
nell'Isola dei Topi!

Geronimo
Stilton

FICCANASO
SQUITT

Testi di Geronimo Stilton.
Collaborazione editoriale di Certosina Kashmir.
Illustrazioni di Larry Keys.
Grafica di Topea Sha Sha.

www.geronimostilton.com

Questo libro è dedicato ad Annamaria Massa con l'augurio di scrivere presto il suo libro.

I Edizione 2003

15033 Casale Monferrato (AL) - Via del Carmine, 5
Tel. 0142-3361 - Telefax 0142-74223

Stilton è il nome di un famoso formaggio prodotto in Inghilterra dalla fine del 17° secolo. Il nome Stilton è un marchio registrato. Stilton è il formaggio preferito da Geronimo Stilton. Per maggiori informazioni sul formaggio Stilton visitate il sito www.stiltoncheese.com.

Stampa: Mondadori Printing S.p.A. - Stabilimento AGT

tornai verso casa. Attraversai il parco: il viale era foderato di foglie gialle che crocchiavano sotto le mie zampe.

Osservai incantato le foglie: cadevano dagli alberi a una a una, vorticando lievi e aggraziate nell'aria come ballerine.

Fu allora che mi accorsi di un **rumore strano**... come se qualcuno mi seguisse cercando di non farsi notare.

Mi girai, ma non vidi **nulla**. Strano!

Ripresi a camminare nel parco deserto, ma udii ancora un rumore.

Di nuovo mi girai... **nulla di nulla.**

Strano!

Ripresi a camminare, a passo più rapido.

Di nuovo quel rumore!

Mi girai di scatto. **Nulla di nulla di nulla.**

Strano!

Col cuore in gola (non sono mai stato un tipo, *anzi un topo,* coraggioso) corsi a perdifiato nel viale.

Ero solo nel parco.

Attorno a me, solo querce, querce, querce... e un banano.

Un **banano???**

Che ci faceva un banano nel parco di Topazia?

Mi avvicinai per osservarlo meglio...

Psssssst, Geronimino!

Uno sportell*ino* si aprì e un muso di roditore sbucò tra una banana e l'altra, cogliendomi di sorpresa. – **Cucù cucù cucù!**

Io feci un balzo indietro. – Chi-chi è?

Si affacciò un sorcio dalla pelliccia color grigio smog, con il muso **lungo** e storto, i baffi lustri di brillantina.

– Psssssst, Geronim*ino*! Ti è piaciuto lo scherzett*ino*?

Io sospirai rassegnato.

L'avevo riconosciuto.

Era **FICCANASO SQUITT!**

Ficcanaso era stato il mio compagno di scuola dall'asilo all'università. Adesso io facevo lo *scrittore*, lui invece... l'***investigatore privato.***

Squitt ridacchiò. – Ha ha ha, ci sei cascato, vero, Geronim*ino*?

Io sospirai. – Non chiamarmi Geronim*ino*, ti prego. Il mio nome è Stilton, *Geronimo Stilton!*

Ficcanaso declamò in tono ispirato: – Ho una propost*ina* per te: sai quale, Stilton*ino*?

GORGONZOLA, CALZINI PUZZOLENTI O... PIPÌ DI GATTO?

Era una nebbiosa mattina di novembre.

Alle nove in punto uscii di casa, diretto al mio ufficio. Se ancora non mi conoscete, il mio nome è Stilton, *Geronimo Stilton!*

Dunque, vi dicevo, uscii di casa...

e arricciai i baffi per il disgusto.

Il salumiere mi salutò.

– Che tanfo,
eh, dottor Stilton?

Secondo me, è puzza di gorgonzola andato a male...

La tintora del numero 17 borbottò: – Secondo me, invece, questa è puzza di **calzini sporchi.** Qui in giro c'è qualcuno che non si lava...

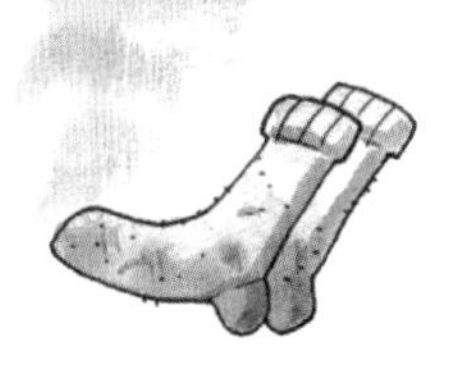

Il tassista scosse la testa: – Secondo me, invece, questa è puzza di **pipì di gatto!!!**

Io mi grattai la testa, perplesso.
Di che puzza si trattava?
E da dove veniva?
Ciascuno diceva la sua, ma l'unica cosa sicura era che... un tanfo così non si era mai sentito a Topazia!
Gli unici contenti della puzza erano i venditori di mollette da bucato, che facevano affaroni.

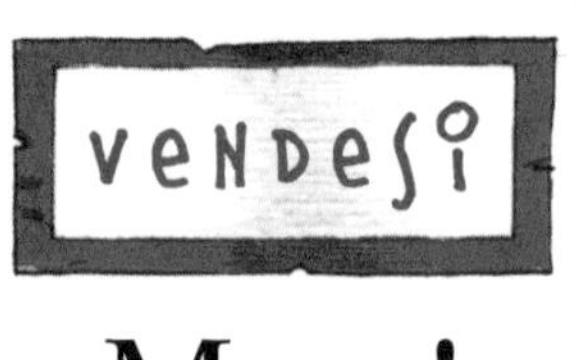

MAH!

Nei giorni seguenti la puzza aumentò e si diffuse ad altre zone della città: la stazione ferroviaria, il mercato, il campo sportivo...
Nei quartieri infestati dalla puzza tutti i proprietari di case cominciarono a vendere.
Vendevano **disperatamente**, a prezzi sempre più bassi... perché nessuno più voleva abitare o lavorare lì!
Chi acquistava era una misteriosissima agenzia immobiliare, la **SigDelFo & Co.**
I suoi camioncini grigi circolavano per le strade di Topazia, ma nessuno sapeva a chi appartenesse l'agenzia... **Mah!**

VENDESI
VENDESI
VENDESI
VENDESI
VENDESI
VENDESI

UHM... BIZZARRO, MOOOLTO BIZZARRO!

Una settimana dopo la situazione era diventata tragica.

Ascoltai la radio: – La misteriosa puzza che ha invaso la città continua ad aumentare...

Con una molletta sul naso, io feci una passeggiata in centro e osservai pensoso i cartelli appesi alle porte.

Acquistato dalla SigDelFo & Co

Acquistato dalla SigDelFo & Co

Acquistato dalla SigDelFo & Co

Acquistato dalla SigDelFo & Co

Tutto il centro ormai era in mano alla misteriosa agenzia immobiliare, la **SigDelFo**.

Continuai la mia ispezione e scoprii che anche tutti gli altri quartieri erano stati acquistati, e persino la periferia e la zona industriale ormai si stavano spopolando.

Qua e là, per le strade deserte, sfrecciavano i camioncini grigi della **SigDelFo**, carichi di sacchi di banconote.

Aguzzai la vista tentando di distinguere chi era alla guida, ma i vetri erano oscurati.

Riflettei.

Uhmmm... perché la **SigDelFo** comprava? Che se ne faceva di case, negozi, uffici in cui più nessuno voleva abitare?

E... come faceva ad avere tanto denaro contante? ***Uhm, bizzarro, mooolto bizzarro!***

NULLA DI NULLA DI NULLA!

Passò una settimana.
Ormai meditavo anch'io di abbandonare la città e trasferirmi in campagna.
La puzza era diventata **insopportabile!**
Quella sera, come sempre, chiusi la porta dell'*Eco del Roditore*. Poi, turandomi il naso,

– Uhm, no, non lo so proprio! – borbottai, sospettoso.

– Ho un problem*ino*: mi servirebbe un aiut*ino* per risolvere uno strano caso...

'Il caso della puzza misteriosa!'

– *Per mille bananille**, – continuò – risolvendolo faremo uno scoop da lasciar tutti sbabbacchiati**!

Scossi la testa: – Mi dispiace, ma sono impegnatissimo a scrivere un nuovo libro e...

– Stilton*ino*! Non fare lo scocciator*ino*! In nome della nostra antica amicizia, dai, sii brav*ino*, fai uno sforz*ino*...

Io mi arresi. – Uhm, e va bene. Sai che per un amico farei di tutto.

Ficcanaso squittì soddisfatto: – Allora... qua la zampa!

UN POSTICINO PROPRIO PULCIOSO

Il giorno dopo mi recai da Ficcanaso Squitt, nella zona del porto.

Il suo ufficio era una sgangherata, pulciosa catapecchia compressa tra due grattacieli.

Più volte gli era stato chiesto di vendere, ma lui rifiutava ostinatamente.

Era troppo affezionato alle **pulci** di questo delizioso

posticino pulcioso!

Bussai alla porta, ma fui

innaffiato da un liquido rosso che pareva... SANGUE???
Stavo per svenire (io sono un tipo, *anzi un topo,* molto impressionabile), ma Ficcanaso ridacchiò: – Stilton*ino,* ti è piaciuto il mio trucchett*ino* anti-spia... alla salsa di pomodoro?
Io protestai. – Prima di tutto, il mio nome è Stilton, *Geronimo Stilton*. E poi, hai rovinato la mia cravatta nuova!!!

Lui mi strizzò l'occhio: – *Per mille bananille*, non sei cambiato dai tempi della scuola. Sei proprio un pignol*ino* precis*ino-ino-ino*!
Io mi guardai attorno: che **confusione!**

Sugli scaffali **polverosi** c'erano pile di scartoffie ingiallite dal tempo e croste di formaggio rosicchiate.
Mi sedetti su una poltrona di cuoio piena di **graffi**, manco ci si fosse baloccato un gatto.
Mi grattai **(acc. quell'ufficio era proprio il regno delle pulci).**
– *Per mille mozzarelle,* non potresti essere più ordinato?
Lui mentì sfacciato: – Stavo giusto per mettere in ordine quando sei arrivato. A proposito, vuoi un frullat*ino*?
Buttò nel frullatore tre banane e un grosso

Sei il solito precisino...
Che confusione!

spicchio d'aglio; quando il frullato fu pronto fece i gargarismi.

Grlbbb... ggg! Grlbbb... ggg! Grlbbb... ggg!

Si leccò i baffi e si massaggiò la pancia. Burp!
– Le banane sono buone e l'aglio fa bene, guarisce tutto, dal raffreddore ai calli!
Mi sventolò sotto il muso un foglio.
– Ma ora basta sciocchezz*ine*, parliamo di cos*ine* serie. Guarda un poch*ino* qui, sai che cos'è?
Mi lustrai gli occhiali per vederci meglio.
– Direi... la mappa delle fogne di Topazia?
Lui urlò: – Rispost*ina* esattaaa! La puzzett*ina* secondo me proviene da lì! Domani voglio esaminare i tombi*ni*, poi esploreremo le fogne, da anni sogno di farci un girett*ino*...
Sospirai... io no!

MAPPA DELLE FOGNE
DELLA CITTÀ DEI TOPI

PALLONCINI MISTERIOSI

La mattina dopo a Topazia fu proclamato lo stato di emergenza. Il sindaco ordinò di tenersi pronti a lasciare la città. La puzza, se possibile, stava ancora aumentando...

Dovevamo fare in fretta! Ficcanaso e io esaminammo uno per uno (dico, uno per uno!) tutti i milleduecentotrentasette tombini di Topazia. Vicino ai tombini trovammo strani palloncini grigi, sgonfi, che tanfavano in modo disgustoso. Li esaminammo nel laboratorio di Ficcanaso.

– Uhm, questi pallon*cini* puzzano, contenevano qualcosa di puzzolente, forse un gas?
Che cosa significava questo strano indizio?
Tornai a casa stanchissimo, con le zampe **gonfie** come salsicce. Quanto avevo camminato! Annusai l'aria, preoccupato.

Era sempre più puzzolente.

Bisognava fare qualcosa,

DIECI CHILI DI BANANE E...

Il giorno dopo ci preparammo per la spedizione nelle fogne.

Portammo con noi, nello zaino:

- MUTA, PINNE E MASCHERA
- UNA TORCIA (CON PILE DI RICAMBIO)
- UNA ROBUSTA FUNE
- PROVVISTE
- BORRACCIA
- OCCORRENTE PER IL PRONTO SOCCORSO
- MACCHINA FOTOGRAFICA E BLOCCO PER GLI APPUNTI CON PENNA.

Ficcanaso insistette per portare anche un mucchio di oggetti, che secondo me erano assolutamente inutili...

Dieci chili di banane?	*Sono per la mia merenda!*
Un minifrigoriferino a pile?	*È per tenere in fresco le banane!*
Un litro di digestivo?	*Capirai, dopo 10 chili di banane...*
Un pupazzetto?	*È il mio peluscìno preferito!*
Una coperta a righe gialle e blu?	*È il mio portafortuna!*
L'occorrente per lavorare a uncinetto?	*Serve a distendermi i nervi!*
Dieci yo-yo fosforescenti?	*Mi sto allenando per il campionato notturno di yo-yo!*
Un violino con archetto?	*Ah, non ti ho detto che sto studiando musica?*
Un vaso da fiori viola a pallini rosa?	*È un caro ricordo di mia zia Squittula!*
Una collezione di francobolli del Perù?	*Ci tengo molto, non mi fido a lasciarli in giro.*
Un vaso da notte?	*Anche se siamo nelle fogne, non si sa mai...*

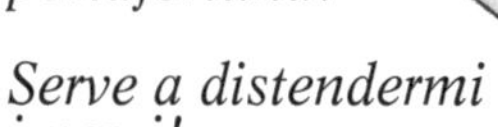

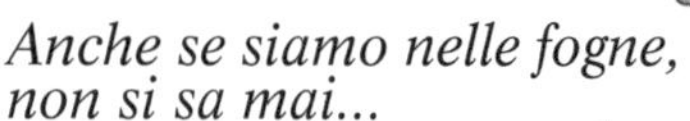

FACCIAMO UNA SCOMMESSINA?

Aspettammo che facesse **notte.** Poi...

Quatti come ratti, anzi ratti come sorci, ci dirigemmo verso il tombino da cui partiva la Fogna Numero Tredici. Da lì saremmo partiti per il nostro giro di esplorazione.

– Non stare a **BAMBLINARE!*** – strillò Ficcanaso. – Facciamo una scommessina Stiltonino?

Se vinco, mi porti lo za*ino*! Se perdo, ti regalo il mio pelusc*ìno* portafortuna!

Io rifiutai: – Lo sai, io non scommetto mai.

– Dai Stilton*ino*, scommetto che non riesci ad aprire il tomb*ino*!

***Bamblinare:** *perdere tempo*

Gnnnn... Gnnnn... Gnnnn... Gnnnn... Gnnnn... Gnnnn... Gnnnn...

Hi hi hi!

Gnnnn... Gnnnn... Gnnnn... Gnnnn... Gnnnn... Gnnnn... Gnnnn... Gnnnn... Gnnnn...

Hi hi hi!

Hi hi hi!

Io ribattei, sicuro di me: – Figuriamoci se non riesco ad aprirlo!

– Allora scommettiamo?

– Ti dico che non mi piace scommettere...

Tirai l'anello con noncuranza, poi con forza, poi feci leva con le zampe, disperatamente... Tutto inutile!

Mi asciugai i baffi SUDATI per la fatica e balbettai: – M-mi arrendo! Come si fa ad aprire?

Ficcanaso sorrise con aria furbetta, poi svitò il tombino che si aprì con facilità.

– Visto? Basta *svitarlo!*

Ridacchiò: – Era scritto proprio dietro la piantina delle fogne, potevi leggerlo anche tu... e comunque, c'è una FRECCINA sul tombino, visto?

Aguzzai la vista e notai che sì, c'era una FRECCINA sul tombino.

Con un lungo sospiro, mi infilai lo zaino di Ficcanaso sulle spalle.

Stavo scendendo, quando mi accorsi che da un canale di scolo due occhietti gialli mi stavano spiando...

– Squiiit! – strillai spaventato. Il tombino mi cadde sulla zampa destra e io saltellai ululando:

– Ahiaaaaaaaaaaaaaaaaaaaaaaaaaaaaaaaaaaaaaaaaaaaaaaaaaaaaaaaaaaaaaaaaaaaaaaaaaaaaaaaaaaaaaaaaaaaaaaaaa!

Ficcanaso prese la cassetta del pronto soccorso e mi fasciò la zampa.
– Stilton*ino*, sei proprio un babbalucciolo*!

***Babbalucciolo:** *scioccone*

A MUSO IN GIÙ NELLA FOGNA NUMERO TREDICI!

Scendemmo nella fogna.
Dentro il buio era totale e dovetti accendere la torcia.
Iniziammo a scendere lentamente, uno scalino alla volta, lungo una scaletta di ferro.
– Uhm, ma proprio da qui dovevamo partire? Dal Numero Tredici?
Ficcanaso inghiottì una banana: – Perché? Il tredici è un bel numero, sai? Porta fort...
Mentre stava parlando scivolò sulla buccia della banana e cadde, travolgendo anche me.
Finii a muso in giù nella Fogna Numero Tredici.
Riemersi sputacchiando acqua puzzolente.

con una lisca di pesce infilata dietro l'orecchio. Per fortuna l'acqua era bassa.
Ficcanaso gridò, preoccupato: – Occhio al mio za*ino*, Stilton*ino*! Non si sarà bagnato il peluscì*no*, eh? Guarda che ci tengo!
– No, il peluscìno non si è bagnato, ma credo di essermi ACCIACCATO ogni osso possibile e immaginabile, inclusi gli ossi della coda...
Ficcanaso fischiettando mi incerottò il muso.
– **SEMBRI PROPRIO UN MOSTRILLO*!** Ma tranquill*ino*, ho un sacco di cerott*ini*, qui! Puoi farti **male** quanto vuoi!
Incerottato come una mummia ripresi la marcia sottoterra.
Sigh... cominciavamo
...PROPRIO BENE!

*Sembri proprio un mostrillo: *hai proprio un brutto muso*

TORSOLI DI MELA, CAVOLI MARCI E CROSTE ROSICCHIATE

Nelle fogne regnava una puzza puzzolosissima. *Roba da stendere stecchita una pantegana col raffreddore!*

Strano: percepivo delle strane vibrazioni e un rumore lontano...

Ficcanaso, col muso appiccicato alla cartina, borbottò: – Adesso giriamo a SINISTRA, poi prendiamo la prima a DESTRA, poi la quinta a SINISTRA, poi la terza a DESTRA...

Io lo seguii per un'ora, sempre più preoccupato.

– Ficcanaso, ma sai **dove stiamo andando?**

Lui squittì, in tono di superiorità: – Ma ceeerto, Stilton*ino*!

Un'ora e mezzo più tardi chiesi di nuovo:
– **Ma sai dove ci troviamo?**
Lui farfugliò: – Ehm, siamo più o meno, in un certo senso, tutto sommato, quasi, forse, magari... decisamente, certamente, sicuramente, praticamente... mah???
Con i baffi che vibravano per la preoccupazione io strillai: – Me lo sentivo, ci siamo persi!
Lui sbuffò: – Oh, come la fai lunga. Essere qua, essere là, che differenza fa?
*È tutto relativo, lo diceva anche Albert Einstein**, e... in quel momento inciampo...

***Albert Einstein** (1879-1955): fisico tedesco, elaborò rivoluzionarie teorie, come quella della Relatività, che iniziarono una nuova era nella fisica teorica.

Si aggrappò alla mia giacca, e tutti e due rotolammo nel profondissimo canale di scolo. SPLASH!
Riemersi sputacchiando tra torsoli di **mela**, cavoli marci e croste ROSICCHIATE.
Gli abiti si erano inzuppati e ci tiravano a fondo. Dovetti sfilarmi lo zaino per non annegare! Con uno sforzo disperato, mi aggrappai al bordo del canale.
Afferrai Ficcanaso per la coda, lo distesi sul bordo della fogna e riuscii a fargli sputare fuori tutta l'acqua che aveva inghiottito.

Mi accorsi che c'era un filo di nylon trasparente teso sul marciapiede.

Una trappola!

Ecco perché Ficcanaso era inciampato!

In quel momento vidi un foglio accartocciato galleggiare sull'acqua. Lo fissai sbalordito.

– Ma quella è una... **banconota!**

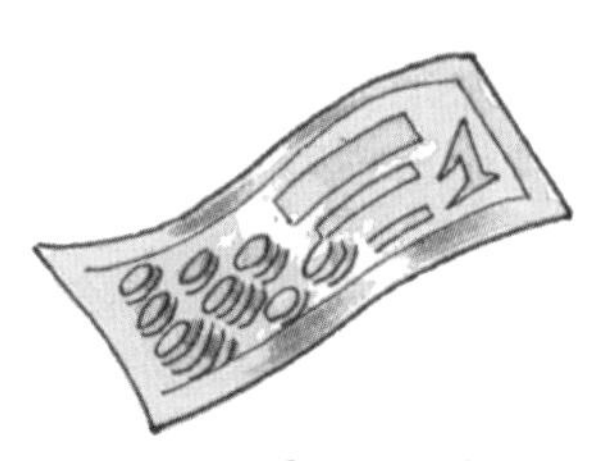

Udii uno strano rumore, come se qualcuno zampettasse furtivamente nel buio.

– C-chi è? Che succede?

Sotto i nostri piedi si spalancò una botola.

Un'altra trappola!

Stavolta eravamo pronti e saltammo di lato. Intravidi delle figure misteriose sgattaiolare attraverso la porticina di metallo che collegava la Fogna Numero Tredici alla Quattordici. Le inseguimmo, erano tre figure indistinte.

Improvvisamente dall'alto piombò su di noi un enorme masso di pietra.

Ancora una trappola!

Lo scansammo e continuammo l'inseguimento. Le **vibrazioni** ora erano più intense.
Nel buio totale (ve lo garantisco, non si vedeva un baffo) spalancammo la porticina per inseguirle e..........

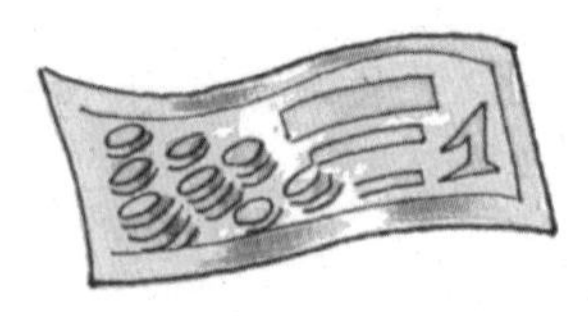

PAMPAMPAM... PAMPAMPAM... PAMPAMPAM...

... di colpo le luci si accesero e ci ritrovammo in un vasto magazzino.

Le vibrazioni ora erano fortissime.

I tre strani esseri che avevamo inseguito ci fissavano con molta attenzione, spiando le nostre mosse.

Anch'io li fissai, anzi... *le* fissai: erano pantegane! Trascinavano un pesante sacco con la scritta **SigDelFo**.

Il sacco era strappato e ne sfuggivano banconote. Uhm... **SigDelFo?** La misteriosa agenzia immobiliare che acquistava a prezzi stracciati interi quartieri della città???

Lanciai un'occhiata a Ficcanaso e lui mi strizzò l'occhio.

Tutti e due avevamo lo stesso sospetto.

Capii che le vibrazioni provenivano da una macchina in fondo alla stanza e riconobbi un rumore.

Pampampam... pampampam... pampampam...

Ecco perché mi suonava familiare: era una macchina tipografica, che...

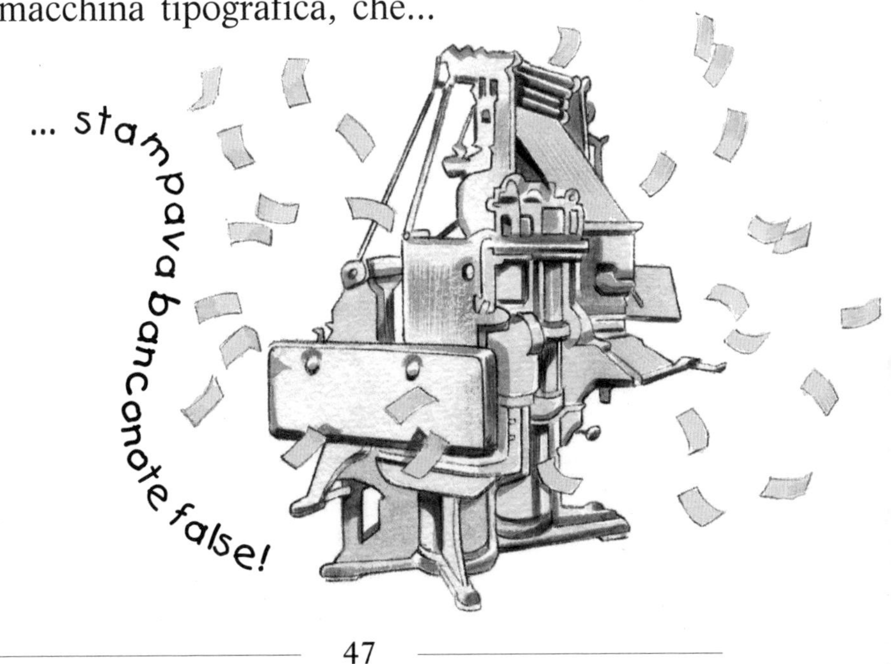

La Signora delle Fogne

Una pantegana armata di una lancia di latta mi punzecchiò il didietro e gridò solenne:

– Stranieri che venite dal Mondo di Sopra,
preparatevi ad incontrare
Colei che Regna sul Mondo di Sotto!

Ci condusse attraverso un corridoio e finalmente giungemmo in un immenso salone dal soffitto a volta.

Tutto intorno BRILLAVANO torce e lampade a olio, che gettavano cupi bagliori e ombre inquietanti.

La guardia ordinò: – Rendete omaggio alla Regina della Spazzatura, l'Imperatrice dei Rifiuti, la Signora delle Fogne, Sua Eccelsa Omaggevolmente Spuzzevole... Tanfolicchia XIII, detta la GRANDE PANTEGANA PUZZONA, della nobilissima dinastia dei Puzzolosi Puzzacchiuti Spuzzi!

Vidi una pantegana *grossa* ma non **grassa** (l'avrei definita **massiccia**), con la pelliccia grigia in cui spiccava una ciocca bianca. Indossava un abito ottenuto cucendo insieme avanzi di **TESSUTO.**

Il mantello brillava

INNO NAZIONALE
DEL MONDO DI SOTTO

Nelle fogne noi viviamo,
ogni cosa ricicliamo,
voi non sapete che esistiamo,
ma dai tombini noi vi spiamo...
Oscuro è il nostro mondo,
si snoda nel profondo,
tra canali e gallerie...
noi non abbiamo vie!
Ecco il motto
del Mondo di Sotto:
abbasso la Solarità...
evviva l'Oscurità!

sfarzoso, ma osservandolo meglio capii che era composto da migliaia di carte dorate di cioccolatini. Sul capo portava una coroncina di latta ornata di tappi di bottiglia, alle dita sfoggiava decine di anelli ottenuti riciclando l'alluminio delle lattine. Al collo, un ciondolo verde (a prima vista mi parve un enorme smeraldo, poi capii che si trattava di un fondo di bottiglia) su cui erano incise le lettere **P.P.**
Lo scettro era una vecchia forchetta di stagno, su cui era stato saldato un pomolo di ottone proveniente da una ringhiera. Osservai meglio il trono: era un'altissima pila di copertoni d'auto, lo schienale... una cassa acustica stereo sforacchiata. Intorno alla Signora delle Fogne svolazzavano moschini. Chissà da quanto tempo non si lavava?

Tanfolicchia XIII

Chi è: Regina della Spazzatura, Imperatrice dei Rifiuti, Signora delle Fogne, Sua Eccelsa Eccelsissima Omaggevole... la Grande Pantegana Puzzona! La dinastia dei Puzzolosi Puzzacchiuti Spuzzi risale al 1725.
Il titolo viene tramandato da una regina all'altra, gli eredi maschi non hanno diritto al trono!

Che cosa fa: regna sul Mondo di Sotto, ma vuole conquistare il Mondo di Sopra a ogni costo!

Il suo grido di battaglia: *Pantegane di tutto il mondo, unitevi!*

Il suo hobby: sollevamento pesi in una palestra superattrezzata. Ha il brevetto di pilota di jet e adora tutti gli sport estremi.

Il suo segreto: si tinge la pelliccia.

Il suo punto debole: è vanitosissima.

Il suo sogno: vuole sposarsi! Gli scapoli sono avvertiti di girare al largo!

Albero genealogico della Signora delle Fogne

Neferticchia IV

Vikinghicchia III

Bradamanticchia VIII

Carmenicchia VII

Clotildicchia IX

Gangstericchia XI

Tanfolicchia XIII

Urgulicchia I
Atenicchia II
Tempuricchia VI
Domiticchia V
Rusticchia X
Serenicchia XI

BALLA... E FELICE SARAI!

Tanfolicchia ci fissò sospettosa. – Tu, con quell'impermeabile giallo giallissimo... e tu, con il muso incerottato... uhmmm, che cos'è, una nuova moda?
Mi girò attorno curiosa, poi con un balzo a dir poco felino mi strappò i cerotti (e, ahimè, anche un bel ciuffo di pelliccia).

Io strillai: – Ahiaaaaaaaaa!

Mi palpai la zucca e capii che avevo una nuova pettinatura: *un ciuffo punk!*

Mi presentai: – Il mio nome è Stilton, *Geronimo Stilton*. E il mio amico è Squitt, **FICCANASO SQUITT!**

Lei ridacchiò maligna: – Siete spie? Non mi piacciono le spie...

Un minaccioso rullo di tamburi sottolineò le sue parole.

Tum-turututum-tum-tum-tum-tummm!

Mi vedevo male.

Molto male.

Anzi malissimo.

Ma Ficcanaso lanciò il suo grido di battaglia.

Ficcaficcaficcanasonasonasosquitt!

Poi rapido come il fulmine infilò in una presa nel muro il cavo della cassa stereo su cui era seduta la Signora. Collegò il suo walkman alla cassa e mise il volume al massimo.
Afferrò la Signora per la zampa e si lanciò in uno sfrenato rock and roll.
– **Yu-huuu!** – strillava, roccheggiando su e giù.

Lei era stupefatta. – M-ma...

Ficcanaso attaccò a cantare: – *Balla, bella imperatrice... dimentica che sei infelice... balla e dimentica i guai... balla e felice sarai!*

Tutte le pantegane cominciarono a cantare in coro: – **Balla e dimentica i guai... balla e felice sarai!**

Ficcanaso cambiò al volo la cassetta e attaccò un *cha cha cha*, poi un *samba*, poi un *valzer*, poi un romantico *tango*...

Fissandola negli occhi lui squittì... – Olé!

Tutte le pantegane strillarono in coro...

– Olé!

La musica finì improvvisamente come era iniziata. Ficcanaso s'inchinò davanti alla Signora e le fece il baciazampa.

– Oh mia Signora,
questo ballo mi onora,
per voi batte il mio cuore,
sono cotto di voi nonostante... l'odore!

Lei ridacchiò lusingata e io capii che il mio amico ancora una volta aveva fatto centro. Non so perché tutte lo trovino affascinante, ma è così!

Io ne approfittai per guardarmi attorno nella Sala del Trono. Eravamo circondati da una immensa folla di pantegane: indossavano strani vestiti fatti di tessuti diversi ed erano...

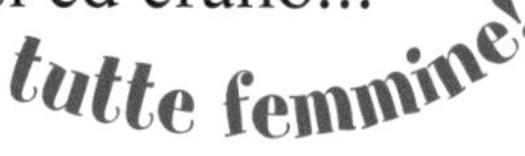

concentrato fetido

Tanfolicchia aveva occhi solo per Ficcanaso. Gli accarezzò i baffi: – Non so chi sei, ma so che mi piaci. Sei ***carino carinissimo...*** puzzi di pulito in modo disgustoso, ma a quello si rimedia subito!

Fece un cenno e due pantegane-ancelle ci spruzzarono addosso un concentrato fetido. Trattenni il respiro: era un tanfo tremendo di melma, uovo marcio, pesce andato a male e fiori appassiti da tempo... sapeva anche di croste di formaggio muffite, calzini non lavati e...

SORPRESA SORPRESISSIMA!

I miei pensieri furono interrotti dalla Signora, che **strillò**: – Fermi e zitti tutti, devo riunire il Gran Consiglio per prendere una decisione importante importantissima!
Poi lei e dieci altre pantegane si riunirono in un angolino a confabulare.

– ... psss pss pssssss...

– ... finalmente la Signora ha trovato un tipo, anzi un topo di suo gusto...

– ... è arrivato proprio a puntino...

– ... è importante dare un erede alla nobile dinastia...

– ... psss pss pssssss... psssssssssssssssss...

Non capivo a che cosa si riferissero, ma la

situazione non mi piaceva, non mi piaceva affatto!

Finalmente Tanfolicchia ritornò sul trono, si raddrizzò la corona e annunciò solenne:

– Popolo delle Fogne, sto per fare un annuncio!

I tamburi di corte rullarono minacciosamente:

– Tum-turutum-tum-tum-tummm!

Lei proseguì: – La vostra Signora ha scelto il suo Reale Sposo!

Tutte le pantegane urlarono in coro:

– Urrà!

La Signora proseguì: – Il Reale Sposo è... è... è... è... è... è... è... è... è... è... è... è... è... è...

Le pantegane urlarono in coro, curiose:

Lei indicò Ficcanaso: – È questo qui, con l'impermeabile giallo!
Gli accarezzò i baffi. – Forse sono un po' più vecchia di te, ma non importa, sono talmente ***affascinante*** che non si nota!
Per la prima volta, da quando lo conosco, vidi Ficcanaso impallidire.
Sogghignai: – Così impari a fare il rubacuori!
Approfittando della confusione, il mio amico tentò di chiedere aiuto con il telefonino.
Lo udii sussurrare: – Pronto? Pronto, Tea?
Poi tentò di mandare un messaggino.
La Signora gli rubò il telefonino.
– Qui sotto i telefoni non funzionano. NO NO NO, CARUCCIO! E comunque, chi volevi chiamare? Non una femmina, eh? Guarda che sono gelosa gelosissima!

Gli strappò il telefonino e controllò quale numero stava chiamando: – Tea? Chi è Tea?

Io tentai di salvarlo: – Ehm, Tea è mia sorella! Dovevamo dirle una cosa...

Lei strillò: – Che cosa significa la frase 'VIENI A SALVARCI'? Eh? Eeeeeeh? Guarda che sono gelosa, sai? Dimenticatela questa Tea! Scordatela! Capito??? Grrrrrr!

Calpestò il telefonino riducendolo in mille pezzi.

E STILTON, CHI SE LO SPOSA STILTON?

Tanfolicchia sussurrò in tono sdolcinato:

– *Puzzino mio, fognettino adorato, tanfino del mio cuore, quando ci sposiamo?*

Lui tentò di cambiare argomento: – Bella giornat*ina* oggi, vero?

Lei annunciò furbetta: – Sorpresa sorpresissima: ci sposiamo domani! Contento, scarafaggino mio? Diventerai Re della Spazzatura, Imperatore dei Rifiuti, Signore delle Fogne. Hai visto come si è spopolata la tua città? È stato facilissimo: attraverso tutti i tombini, ho mandato nel tuo mondo migliaia e migliaia di palloncini di gomma pieni di gas **PUZZOLENTE**.

FASE 1: dai tombini di Topazia escono palloncini grigi con la scritta **SigDelFo** che rilasciano gas puzzolente.
FASE 2: tutti i roditori sono costretti a girare con le mollette sul naso, l'aria è grigia e impuzzolita!
VENDESI
A QUALSIASI PREZZO
FASE 3: la Città dei Topi è piena di cartelli con la scritta: VENDESI A QUALSIASI PREZZO!
VENDESI
A QUALSIASI PREZZO
FASE 5: la Signora delle Fogne sta per conquistare il Mondo di Sopra!
FASE 4: i camioncini grigi della **SigDelFo** girano per la città comprando immobili (a proposito, sono telecomandati!).

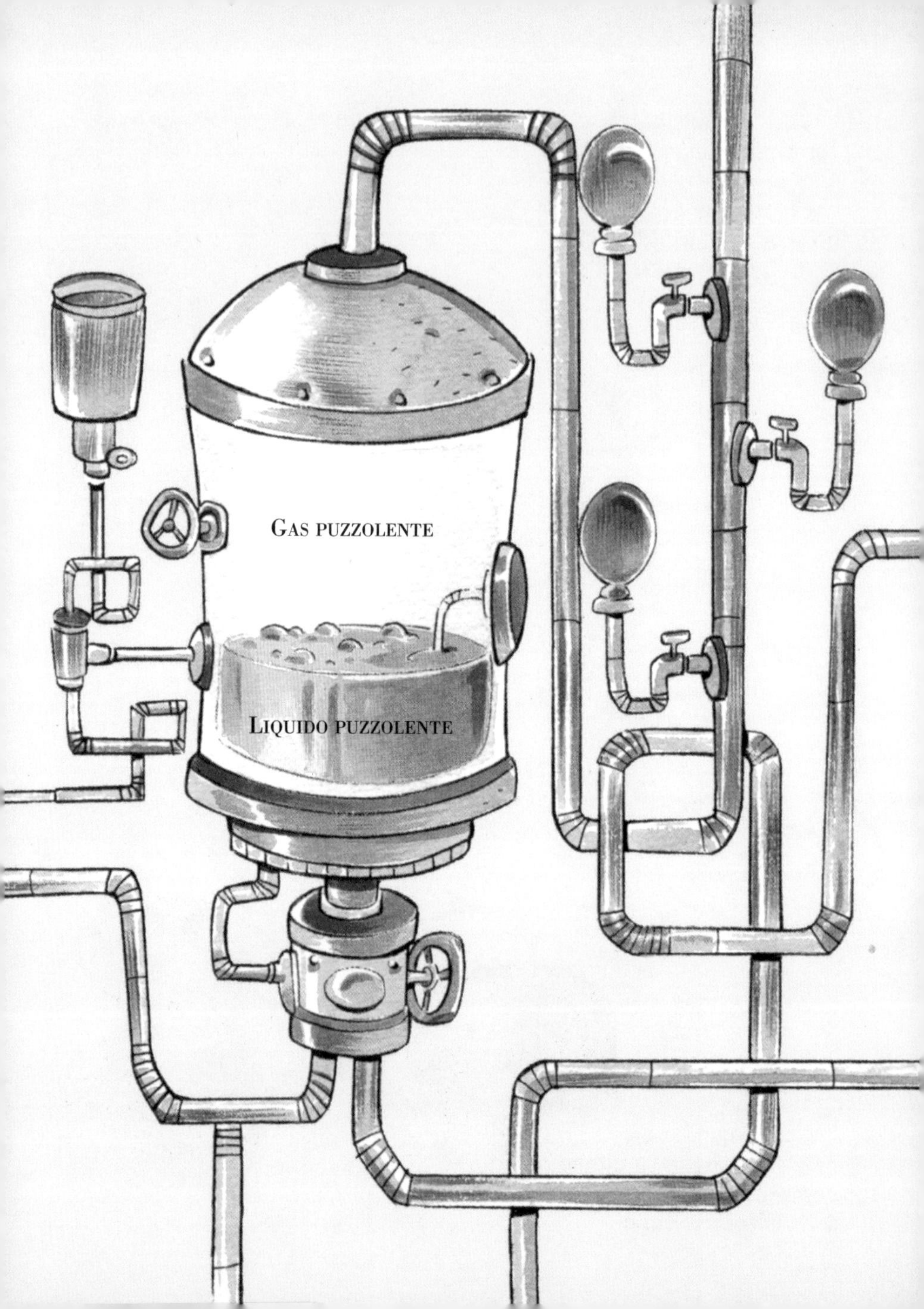
Gas puzzolente
Liquido puzzolente

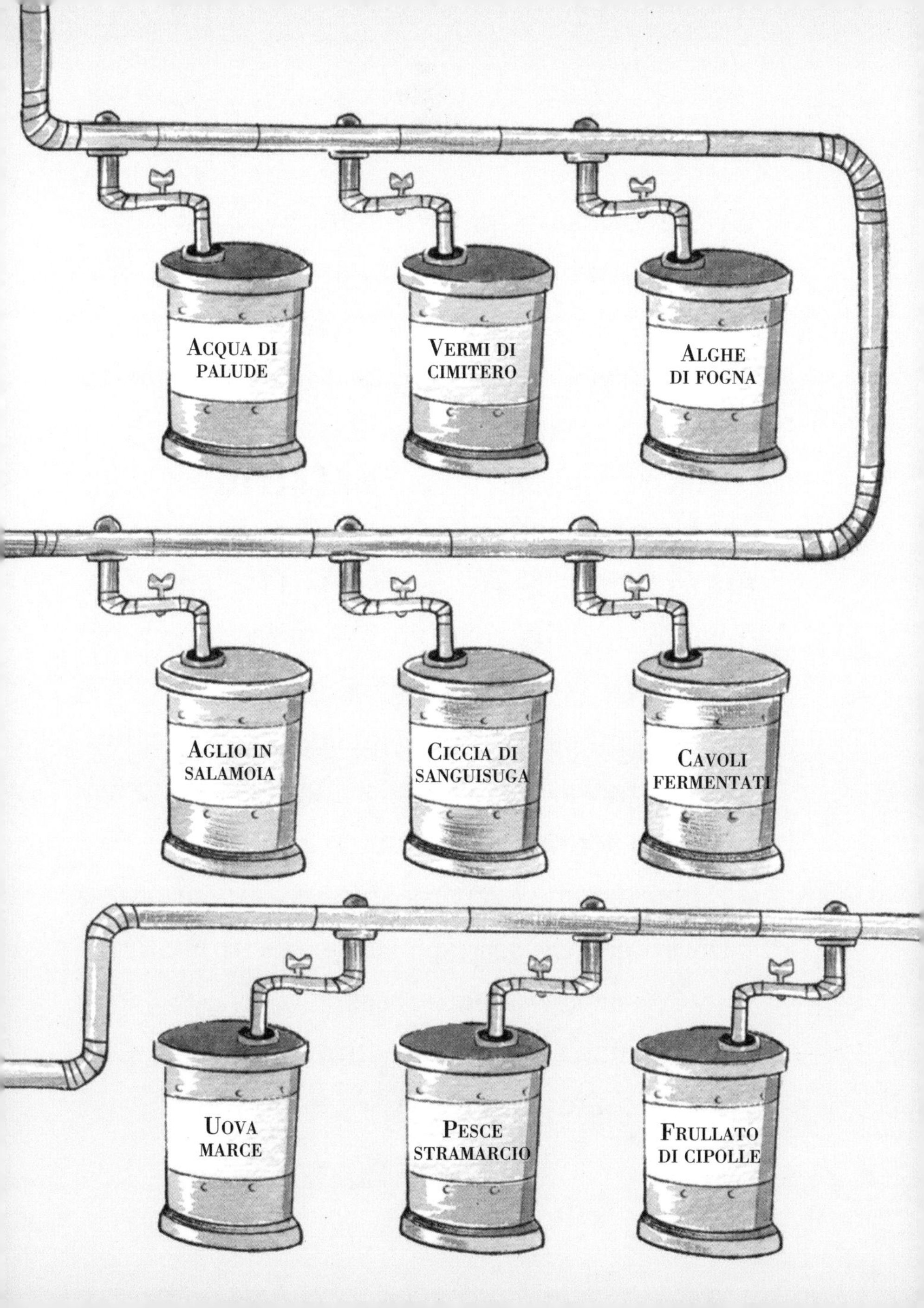
ACQUA DI PALUDE
VERMI DI CIMITERO
ALGHE DI FOGNA
AGLIO IN SALAMOIA
CICCIA DI SANGUISUGA
CAVOLI FERMENTATI
UOVA MARCE
PESCE STRAMARCIO
FRULLATO DI CIPOLLE

La Signora proseguì trionfante: – Uno dopo l'altro, tutti hanno venduto e io ho comprato! Tesoruccio, insieme conquisteremo il mondo!
Udii la folla sussurrare: – E Stilton, chi se lo sposa Stilton?
– Già, chi conquisterà quel bel bocconcino?
– Non è male, solo un po' **MAGRETTO**...
– Ah, ma basta farcirlo di cibo sostanzioso tutti i giorni *tutti tutti tutti,* anche la domenica, dalla mattina alla sera, a tutte le ore *tutte tutte tutte,* anche di notte...
Il primo ministro sussurrò qualcosa all'orecchio della Signora, che chiese a Ficcanaso: – Zinzacchino adorato, il tuo amico è sposato?
– È libero come l'aria! – si lasciò sfuggire lui.
– Dovevi dire che sono sposato! – sussurrai stizzito. – Così mi lasciavano in pace!
Lei annunciò: – Ascoltate tutte tuttissime! Chi vuole sposare Stilton alzi la zampa!

Tutte le pantegane alzarono la zampa compatte. Lei sogghignò: – Complimenti, Stilton, pare che tu abbia molto successo! Visto che ci sono molte richieste, faremo... **una lotteria!** Estrarrò io personalmente il biglietto vincente. Chi vince sposa Stilton!

Una panteganona da cento chili e anche più mi lanciò un bacino al volo: – Me lo sento, sarai mio, bel polpettino!

Io rabbrividii.

Quando mi sposerò (sono un tipo, *anzi un topo*, molto romantico, sto aspettando il Grande Amore della mia Vita)...

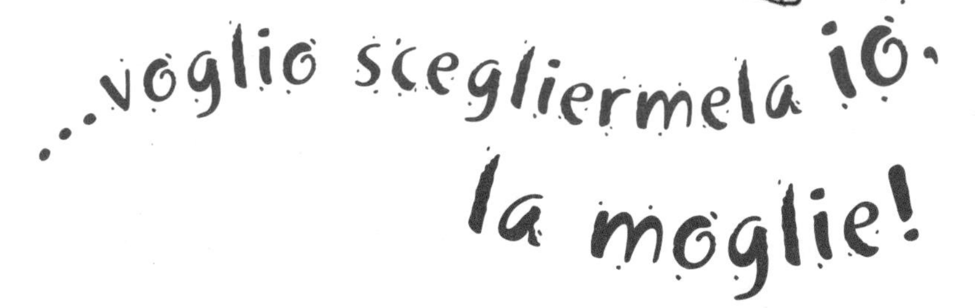

Benvenuti a Pantegana City!

Tanfolicchia ci mostrò con orgoglio il suo regno. – Benvenuti a **Pantegana City**, capitale del Mondo di Sotto! Ci riforniamo nei vostri mucchi di spazzatura. Non hai idea di quante cose la gente butti via... e ciò che voi scartate nel Mondo di Sopra, diventa materia prima per le nostre abilissime operaie che riutilizzano *tutto tutto tutto!*

Mi mostrò un libretto che si intitolava '**Come e perché riciclare i rifiuti**'. Lo sfogliai incuriosito, poi lo infilai in tasca.

Attraversammo uno stabilimento dove le lattine di al-

luminio venivano trasformate in oggetti di ogni tipo: posate, pentole, piatti, tubi, chiavi, fibbie e... persino gioielli! Con le bottiglie di plastica si ottenevano vasi da fiori. In enormi calderoni veniva gettata la carta, riciclata per ottenere fogli nuovi e puliti.

– Ha ha haaa, anche le banconote false che vi abbiamo affibbiato, erano stampate su carta riciclata! – sghignazzò la Signora.

Mi spiegò che l'energia del Mondo di Sotto era ottenuta facendo fermentare la spazzatura.

Io ero, mio malgrado, molto ammirato.

– Tutti dovrebbero imparare a riciclare. Le risorse della Terra sono limitate, non si può continuare a produrre senza limiti, senza pensare al futuro... non è giusto lasciare in eredità alle generazioni future un pianeta inquinato!

...non si può continuare a produrre senza limiti...

Tanfolicchia spiegò: – Nel Mondo di Sotto non manca niente, neanche lo sport!

Sentii un rombo: una pantegana in moto acquatica mi sfrecciò a pochi millimetri, facendomi il pelo e contropelo ai baffi. Un jet a forma di pipistrello sfrecciò sopra le nostre teste. Lei annunciò: – Lo sai che ho il brevetto di pilota? Adoro tutti gli sport estremi!

Tirò i baffi a Ficcanaso: – Mi sei piaciuto subito, sai? Hai proprio dei baffi ribaldi ribaldissimi... non vedo l'ora di strapazzarti di coccole!

Il Palazzo Reale era una sfilata senza fine di saloni arredati con strani

Arredamento tipico di Pantegana City

mobili, assemblati con pezzi trovati nella spazzatura. Ma quale fascino avevano quei pezzi unici, ideati dalla fantasia delle ingegnose artigiane del Mondo di Sotto!

C'era anche una immensa piscina olimpionica, colma di FANGHIGLIA grigiastra su cui svolazzavano moschini.

– Ecco la nostra sfiziosa piscinetta privata, zinzullo mio. Poi ti mostro la palestra. Io sono molto sportiva, sai? – e mostrò dei muscolacci da fare invidia a un bagnino.

Mentre tornavamo indietro, Ficcanaso fece una puzzetta.

Io mi turai il naso: – Ma... queste cose non si fanno!

Lui sghignazzò: – Tanto, qui non se ne accorgerà nessuno!

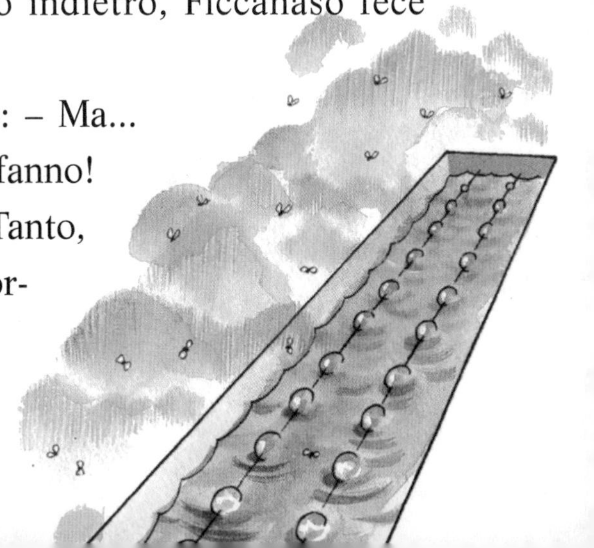

Pantegana City
Centro
commerciale
Spiaggia
Laguna per sport acquatici
Pontile per moto
acquatiche
Corsi
di sub

Tipografia
Ingresso di
Pantegana City
Pesca sportiva
Tennis
Musei e
biblioteche

OCCHIO AL PIPISTRELLACCIO E ALLO SCARAFAGGIONE!

La Signora fece la boccuccia a **cuore:**
– Spuzzettino mio, ecco un regalo regalissimo: ho appena ordinato di creare una piantagione di banane tutte per te!

Davanti a noi c'era una distesa di terra concimata, dove pantegane-contadine vangavano di buona lena.

Per la prima volta, vidi Ficcanaso commosso. Si asciugò una lacrimuccia: – Ehm, grazie, è proprio un pensier*ino* gentile...

Poi mi allungò una gomitata.

– È proprio car*ina*, ha capito subito che a me piacciono le banan*ine!*

Io chiesi curioso: – Come fate a coltivare la frutta e la verdura sottoterra?

– Abbiamo lampade solari che riproducono la luce del sole. E potenti condotti di aerazione ci permettono di respirare la stessa aria che respirate voi, in superficie...

In quel momento, proprio in quel momento, udii un fruscio e qualcosa di morbido e peloso mi sfiorò un orecchio.

Lanciai un urlo:

– **Aiutooooooooooooooo!**

Tanfolicchia rise di gusto:

– Pip, a cuccia!

Pip, un pipistrellaccio con

due metri di apertura alare, andò obbediente ad appollaiarsi a testa in giù sul braccio della Signora, fissandomi con inquietanti occhietti rossi.

Un essere bavoso mi sfiorò la coda: era una lumaca gigante di nome Lula.

Proprio allora, una creatura dalla corazza nera come l'inchiostro, con delle zanne da far paura e un paio di antenne mostruose mi fece pipì sui piedi.

– Aaaaaaaaaaaaaaaaaaaaagh!

– urlai, facendo un salto in alto con cui avrei potuto battere il record olimpico.

La Signora ridacchiò.

– Brutus, vieni qui, da bravo! Dai che ti metto il guinzaglietto...

Era uno scarafaggione **gigante...** e quando dico gigante, cari lettori, era proprio gigante, *parola d'onore di roditore!!!*

– Abbiamo selezionato le razze di scarafaggi, pipistrelli e lumache che vivevano nelle fogne di Topazia, per ottenere esemplari sempre più grossi!

Indicò un collarino dorato con una medaglia: Tanfolicchia gli grattò affettuosamente le antenne.

– Brutus è un vero campione, vince tutte le gare!

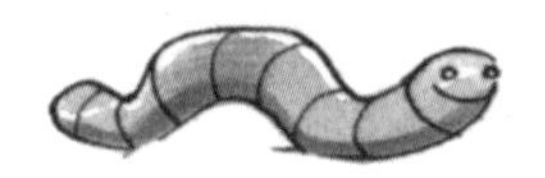

Maschera di melma e crema di vermi

La mattina delle nozze, Tanfolicchia si sottopose a una complicata serie di trattamenti di bellezza.

Dopo un bagno di acqua di palude stagnante, le spalmarono sul viso una maschera di melma. Poi uno speciale trattamento-viso: lozione tonica di concentrato di mosche...

crema nutriente di vermi... infine un massaggio rassodante con antenne di scarafaggio.

La pantegana-parrucchiera le fece uno sciampo alla **ciccia** di sanguisuga, seguito da un balsamo alle alghe di fogna.

Le pettinò i capelli a cresta, intrecciandovi scarafaggi imbalsamati dipinti d'oro e d'argento.

Arrivò la sarta di corte con *l'abito da sposa* ricavato da MILLE e MILLE avanzi di tulle candido e ornato di MILLE e MILLE bottoni uno diverso dall'altro, una stola di ali di pipistrello albino, un velo di tela di ragno, con uno strascico di ali di mosca. Infine, un diadema ricavato da cocci di cristallo che risplendevano come DIAMANTI alla luce delle candele.

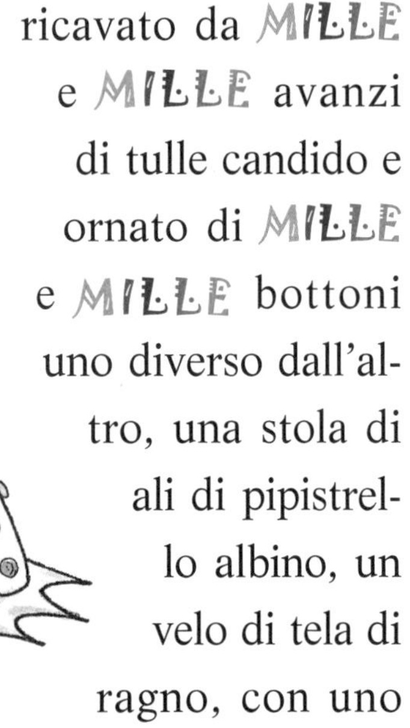

La Carrozza Reale era pronta per la cerimonia. Era ottenuta

con materiali riciclati: una immensa gabbia per uccelli, montata su quattro ruote di trattore, ***lussuosamente*** foderata di cuscini grigi. La trainavano otto enormi scarafaggi, con le briglie di **alghe** intrecciate.

Reale era pronta per la cerimonia.

Una damigella le porse un frammento di specchio: la Signora si pavoneggiò soddisfatta.

– Ti piace il mio abito, Squittolino adorato, cuoricino di melma?

Ficcanaso mi prese da parte e mugolò disperato: – Dammi un consigl*ino.* Non posso sposarla, lo sai. Io amo solo tua sorella Tea...

Io sospirai: – Siamo sorvegliati a vista. Credo proprio che non ti resti altra scelta...

Lui **ululò** disperato: – Mi si spezza il cuore! E il cuore... *non si può ingessare!*

Arrivò il Primo Ministro del Mondo di Sotto.

– Abbiamo appena acquistato l'ultimo edificio di Topazia.

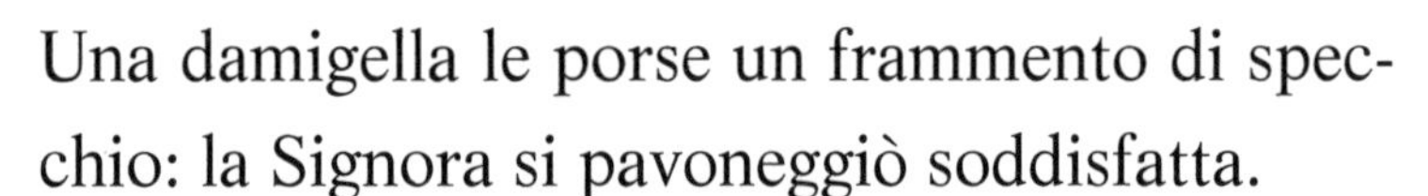

Negli occhi grigi di Tanfolicchia brillò una luce FEROCE.

– *Per mille pipistrille,* prima la Città dei Topi, poi l'Isola dei Topi, infine... il Mondo Intero! Voglio tutto tuttissimo e subito subitissimoooo! – poi urlò a squarciagola:

– Pantegane di tutto il mondo, uniteviiii!

La folla cantò l'inno di battaglia:

Siamo tante e siamo fiere,
siamo Pantegane Guerriere,
Tanfolicchia è la nostra Signora,
non sappiamo cos'è la paura,
dalle fogne presto usciremo,
con forza combatteremo,
tremate, o voi del Mondo Solare...
vi stiamo per conquistareeeeee!
Pan-pan-pantegane,
uscite dalle tane!

GUARDA, UNA BANANA CHE VOLA!

Tanfolicchia ordinò: – Guardie, conducete via il Fidanzato Reale. Il Matrimonio avrà luogo stasera alle otto in punto!

Mentre ci portavano via, Ficcanaso mi strizzò l'occhio e capii che aveva un piano.

Esclamò: – Oh, guarda, una banana che vola!

Tutte le pantegane alzarono il muso curiose.

– **Una banana?**

– **Una banana che vola?**

– **Davvero?**

– **Urca!**

– **Dov'è, dov'è, voglio vederla anch'io!**

Rapido come il fulmine, Ficcanaso saltò su

una moto acquatica: – Tienti forte, Stilton*ino*!
Io balbettai: – M-ma la sai guidare?
– Che domand*ine* mi fai? Io so pilotare tutto (o quasi).
Diede gas e la moto si impennò con un ruggito. Io chiusi gli occhi.
Ah, come rimpiangevo di essermi lasciato trascinare in quella folle avventura!
Il mio amico lanciò il suo grido di battaglia.

Ficcaficcaficcanasonasonasosquitt!

Poi si lanciò a velocità supersonica lungo un canale. Mi girai: già ci stavano inseguendo!
Gli altoparlanti annunciarono: – **Emergenza!**
Tutte le pantegane all'erta! Il Fidanzato Reale è fuggito! Bisogna riacchiapparlo!
I tamburi di corte iniziarono a rullare minacciosi. Tum-turutum-tum-tum-tummm!
Lungo il canale Ficcanaso adocchiò una galle-

ria laterale e con una virata spettacolare ci si gettò. Spense il motore e si appiattì dietro l'angolo.

– **SHHH!** – bisbigliò. – Stai zitt*ino* zitt*ino*. Forse le abbiamo seminate!

Attesi che arrivassero i nostri inseguitori, con il cuore che mi batteva nel petto.

Batteva persino più forte dei tamburi di corte che continuavano a echeggiare in lontananza.

MANNAGGIA LA SCARAFAGGIA!

Le pantegane che ci inseguivano proseguirono senza accorgersi di noi. Erano preoccupate:
– Presto, più presto! *Mannaggia la scarafaggia,* dobbiamo riacchiappare il Fidanzato Reale o siamo pipistrellate... la Signora delle Fogne **NON PERDONA** chi sbaglia!
Rabbrividii.
Chissà che cosa ci avrebbe fatto Tanfolicchia se ci avesse riacciuffato?
Abbandonammo la moto e silenziosamente ci inoltrammo lungo il corridoio stretto e buio.
Dall'alto, gocce di UMIDITÀ mi pioveva-no sulle orecchie, facendomi il solletico.

Girammo l'angolo... e precipitammo lungo una cascata di puzzolente acqua di fogna.

Un torrente impetuoso ci trascinò via. Ci aggrappammo a un copertone che galleggiava nell'acqua e iniziò un pauroso viaggio tra onde e rapide.

Ficcanaso strillò: – uau! Stilton*ino*, è divertente, è come fare rafting!

Io urlai terrorizzato: – Infatti non mi piace! Non mi piace per nienteee!

SBANGGGGGGGG!

Il torrente sbucò in una immensa laguna, sulle cui rive crescevano mangrovie e altre piante capaci di vivere con le radici sott'acqua.
Qua e là c'erano dei getti di ACQUA bollente (provenienti dai tubi di acqua calda che passavano sotto il suolo della città): erano le terme delle pantegane.
La laguna era fitta di turisti che praticavano sport acquatici.

Proprio allora una pattuglia ci notò.
– Ecco il Fidanzato Reale! All'aaaaaarmi, pantegane! All'aaaaaaaaaaaaaaaaaaaaarmi!
Ficcanaso saltò su un motoscafo e mi allungò un paio di sci. – Dai Stilton*ino*! Tienti forte che si parte! Yu-huuuuuuuu!
Prima che potessi rendermene conto stava già zigzagando a velocità stratopica tra alberi, scogli e salvagenti.

Avrei voluto urlargli 'Fermati! Vai troppo veloce!' ma dietro di noi la pattuglia di pantegane era sempre più vicina...
Ficcanaso si infilò in un canale che attraversava proprio il centro di Pantegana City, e qui la situazione (se possibile) **peggiorò.**

Fece una brusca virata e io mi ritrovai con gli sci direttamente sul marciapiede!
Passai a velocità folle sopra i calli di una vecchia

signora, che mi tirò un'ombrellata in testa: – Stonf!!!

Tentai di scusarmi: – Mi perdoni, signora, non l'ho fatto apposta!

Io sono sempre cortese con le vecchiette, ve lo garantisco!

Ma lei strillò inviperita: ***- Voi del Mondo di Sopra non sapete neanche cosa sia l'educazione!***

Una panteganina di circa sei anni urlò alla mamma: – Guarda, mamma! Un bersaglio mobile! – poi mi centrò un orecchio con la fionda: – Stoinggggggg!

Una pantegana-vigile che dirigeva il traffico mi

fischiò nelle
orecchie, trapanandomi
i timpani: – Fiiiiiiiiiiiiiiiiiiiii! – poi tentò
di fermarmi con uno sgambetto.
Feci un salto mortale con gli sci ai piedi ma...
(non chiedetemi come, non lo so) atterrai
pronto a ripartire.
Ficcanaso superò un ponticello proprio mentre stavano passando due operaie che reggevano un enorme vetro.
Capii che sarei andato a sbattere. Urlai:
– Frena, Ficcanaso,
frenaaaaaaaa!
Un attimo dopo...

SIAMO PIPISTRELLATI!

Mi sentivo... *stordito* come un *tordo stordato,* ma Ficcanaso mi tirò una secchiata di acqua di fogna (**gelida**) per svegliarmi del tutto.
Mi urlò nelle orecchie: – Dai Stilton*ino*, che adesso viene il meglio!
Mi trascinò a bordo di un pipistrello-jet e diede gas prima che io potessi dire 'squit'.
Mentre decollavamo io balbettai: – M-ma lo sai guidare?
Lui urlacchiò: – È facile guidare 'sta roba, facilissimo, come rosicchiare un pezzo di formaggio!
Tolse la zampa dai comandi per

grattarsi un orecchio e il velivolo si inclinò paurosamente.
Io chiusi gli occhi per non vedere e urlai:

– Aiutoooo! Precipitiamooo!

Ficcanaso sghignazzò. – Ma va, questo era giusto un assaggio... guarda che acrobazie si possono fare con 'sto pipistrocoso qui!
Fece un tonneau, un looping, uno stallo e una vite e quando già mi immaginavo **spiaccicato** sul cemento (coda e baffi e tutto il resto), il pipistrello-jet riprese quota e si diresse verso la Fogna Numero Tredici:

– Aufff! – sbuffai, asciugandomi i baffi sudati per la fifa.

– Ormai è fatta! – trillò baldanzoso Squitt.

Ma io udii un fruscio sinistro alle spalle.

Mi girai.

Pallido come una mozzarella avvertii Ficcanaso.

– Lei c-ci sta inseguendo...

– Lei chi? – chiese Ficcanaso.

– Lei... la Signora delle Fogne!

Sì, Tanfolicchia ci inseguiva pilotando personalmente il suo jet personale.

La udii gridare: – *Per la corona riciclata di mia nonna Stanfacchiata,* sarai mio...

vivo vivissimo o morto mortissimo!

Gridai disperato: – Siamo pipistrellati, cioè siamo finitiiiiiiiiiiiiiiiiiiiiiiiiiiiiiiiiiiiiiiiiiiiiiiiiiiiiiiiiiiiiiiiiiiiiii!

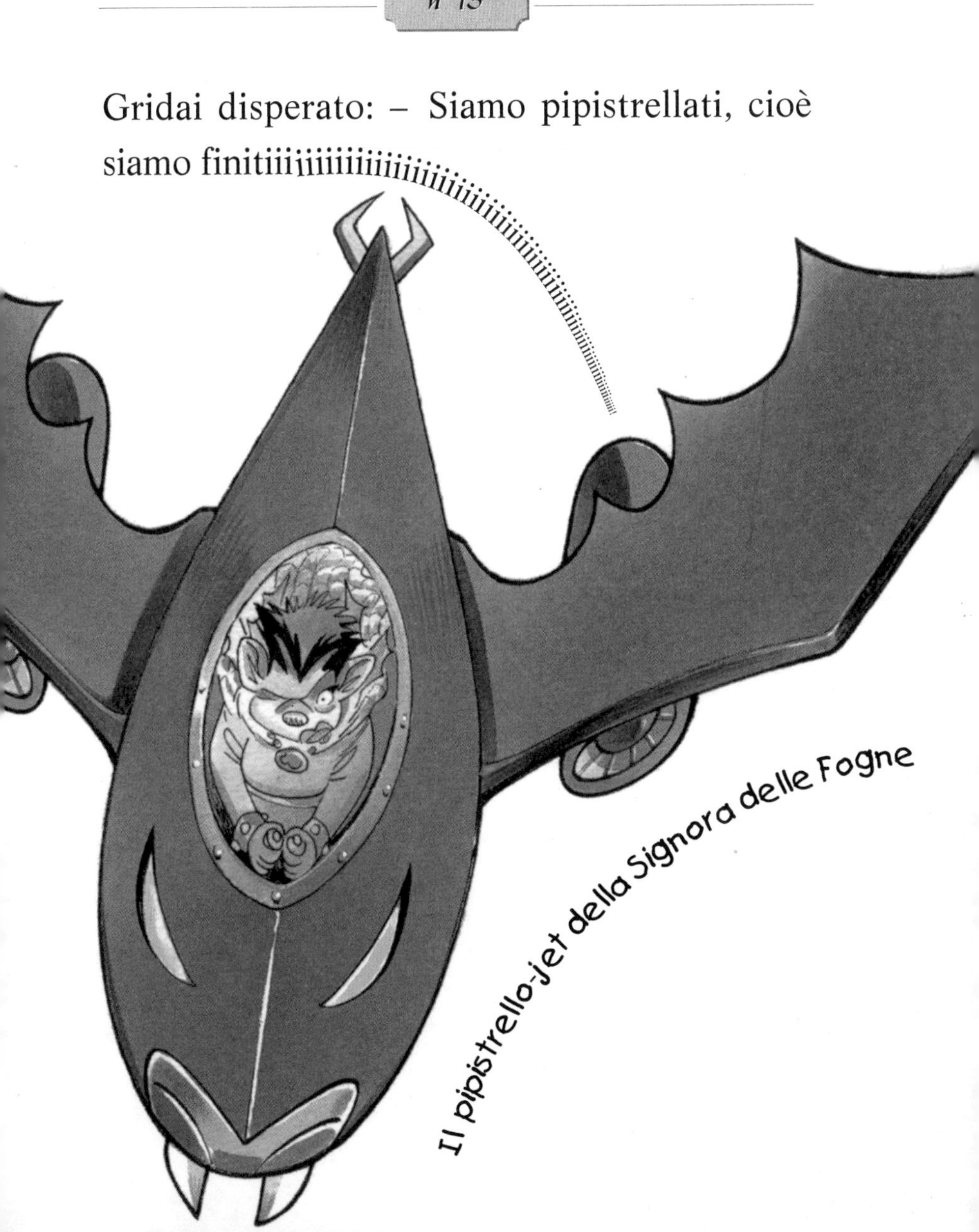

Il pipistrello-jet della Signora delle Fogne

ALL'ATTACCO, MIE VALOROSE GUERRIERE!

Finalmente, il pipistrello-jet imboccò la galleria della Fogna Numero Tredici.
Da lontano, vidi come un miraggio la scaletta di ferro arrugginito da cui eravamo arrivati...
Ficcanaso planò vicino alla scaletta.
Saltammo giù dal jet e salimmo la scaletta.

Non resistetti alla tentazione e mi voltai. La Signora delle Fogne, seguita da un immenso esercito di pantegane in tenuta da guerra, ci inseguiva con un'espressione feroce sul muso.
Quando arrivammo in cima alla scala saltai fuori con il cuore in gola.
Ma proprio quando stavo per richiudere il tombino della Fogna Numero Tredici, una zampa muscolosa, oh, molto più muscolosa della mia lo spalancò.

– Che cosa credevate di fare? Eh? Di sfuggirmi? Bei bocconcini, alla fine vinco sempre io, oh sì, vinco sempre io, sicuro sicurissimo anzi garantito garantitissimo...
Aiutato da Ficcanaso, tentai di rimettere a posto il tombino, ma lei resisteva.
Era ben più forte di noi due messi insieme!
Tanfolicchia ululò perfida: – Ha haa haaa!
È solo questione di attimi, e il Mondo di Sopra sarà mio! Tutto mio! Seguitemi, mie fedeli, mie valorose, mie feroci guerriere! Pan-pan-pantegane, uscite dalle tane!
La Signora spinse il tombino di lato e balzò fuori, seguita da **decine e decine**, **centinaia e centinaia**, **migliaia e migliaia** di pantegane urlanti.
Ficcanaso e io eravamo ormai circondati, quando... all'orizzonte spuntò il sole.

I suoi primi, pallidi raggi baciarono l'Isola dei Topi, come ogni mattina all'alba.
Inondarono i tetti delle case, le vie e le piazze, le cime degli alberi e i fiori delle aiuole...
Sbattei le palpebre: mi ero disabituato al sole, ma in pochi attimi mi ripresi.
Invece la Signora delle Fogne e tutte le sue guerriere si coprirono gli occhi.
Lei ululò: – Aaaaaaaaah! Brucia! Non resisto!

Provò a infilare un paio di occhiali da sole, ma non servì a nulla.
A tentoni ritornò al tombino, seguita dalle sue guerriere, e sparì nel mondo sottostante.
La udii gridare furibonda: – Non potrò mai conquistare il Mondo di Sopra!!! Ma con te puzzettino mio non finisce qui! Ci rivedremo! Prendi nota! Capitooooooooooooooo...
L'eco delle sue ultime parole riecheggiò a lungo nelle nostre orecchie!

riecheggiò
riecheggiò
riecheggiò riecheggiò
riecheggiò riecheggiò
riecheggiò

Poi, più nulla.

Silenzio.

Se n'era andata.

IN-CRE-DI-BI-LE!!!

Ficcanaso con le zampe tremanti sbucciò una banana. – Credo che rosicchierò una banan*ina* per tirarmi su...

Poi sospirò: – Anche se era una cattivona, mi spiace aver spezzato il suo cuoric*ino*. Non bisognerebbe mai spezzare il cuori*cino* di nessuno!

Io mi tastai incredulo la testa, le zampe, la coda. – Incredibile! Non mi sono rotto niente! Se penso a tutto quello che abbiamo passato... **la moto acquatica, lo sci nautico, il pipistrello-jet...** scusami se lo ripeto, ma è davvero...

in-cre-di-bi-le!!!

Annusai l'aria: la puzza stava già diminuendo.
– Ora che è finito tutto bene, posso finalmente tornare a cas...
Scivolai sulla buccia di banana di Ficcanaso e finii lungo disteso sul marciapiede. Mi rialzai dolorante.

PER GERONIMO STILTON... HIP HIP, URRÀ!

Eh sì, mi ero rotto una zampa e mi ingessarono: ma appena uscii dall'ospedale corsi all'*Eco del Roditore.*

Pubblicai un numero speciale, in cui spiegavo che gli abitanti di Topazia potevano ritornare, che era tutto finito, che la Signora delle Fogne aveva rinunciato ai suoi piani di conquista.

Tutti ci acclamarono: avevamo salvato la Città dei Topi! Tutte le riviste pubblicarono la nostra foto, tutte le televisioni ci intervistarono. Quando la mattina dopo uscii di casa, trovai ad aspettarmi una folla che inneggiò: – Per Geronimo Stilton... **hip hip, urrà!**

Poi mi portarono in trionfo. Io arrossii (ehm, sono un tipo, *anzi un topo,* molto timido).
Una topolina piccola piccola mi chiese l'autografo. – Sei il mio mito, Geronimo! Da grande voglio diventare come te!
Un altro topolino squittì: – Anch'io voglio fare lo scrittore!
Dietro di loro una folla di topini attendeva un autografo. Preso da un'ispirazione improvvisa, proposi: – Venite tutti con me all'*Eco del Roditore!* Oggi dedico a voi giovani la mia giornata, vi spiegherò come funziona un giornale e che cosa significa essere scrittore e giornalista!

Fu una giornata speciale. Mi piace stare vicino ai giovani, mi dà energia, mi ricorda che tutti noi dovremmo essere come loro: pieni di entusiasmo, di curiosità, di speranza nel futuro.
Quando fu sera e mi ritrovai solo nel mio ufficio, infilai le zampe in tasca e ripensai a quella splendida avventura.
Fu allora che mi accorsi di avere in tasca un libretto... quello che mi aveva dato la Signora delle Fogne!
Lo sfogliai molto interessato. Eh sì, il Mondo di Sotto poteva insegnarci tanto su come trattare i rifiuti. Perché tutti i cittadini di Topazia capissero quanto è importante rispettare le risorse della Terra, senza sprecare rifiuti che possono essere riciclati, pubblicai un inserto dell'*Eco del Roditore*...

RICICLARE I RIFIUTI

La raccolta differenziata è il primo passo
per poter riciclare i materiali, in modo da evitare lo spreco
di materie prime e limitare l'inquinamento del nostro pianeta.

Bio e non bio

Le sostanze biodegradabili possono essere decomposte da organismi viventi come i microbi e perciò non lasciano traccia nell'ambiente.
Molte materie chimiche, invece, non sono biodegradabili e restano in giro a lungo.
Sapete quanto ci mette il mare a smaltire gli oggetti più comuni?

Guardate questi esempi…

- *un torsolo di mela: 2 mesi.*

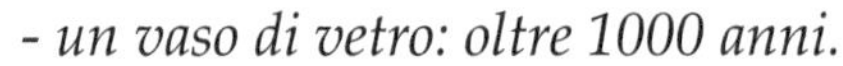

- *un vaso di vetro: oltre 1000 anni.*

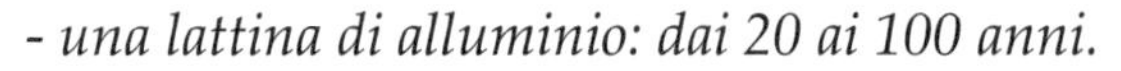

- *una lattina di alluminio: dai 20 ai 100 anni.*

- *una bottiglia di plastica: dai 100 ai 1000 anni.*

Incredibile, vero?

Adesso capite perché è così importante portare via i rifiuti dopo un pic-nic in un prato o una gita al mare!!!

Ricordatelo anche agli amici e ai vostri genitori!

Il gioco della cartapesta

Riciclare la carta è così semplice che potete provare anche a casa vostra!

Seguite le istruzioni con l'aiuto di un adulto.

- Sciogliete in un litro di acqua un cucchiaio di colla da tappezziere.
- Aggiungete della carta vecchia strappata a pezzettini e lasciate ammorbidire per almeno una notte.
- Impastate con le mani in modo che diventi un composto denso e omogeneo.
- Ora siete pronti per modellare vasi, statuette e tutte le cose che vi vengono in mente!
- Una volta terminate le vostre sculture, non mettetele sul calorifero! Lasciatele asciugare in un posto ventilato, fino al giorno dopo.
- Adesso potete decorare con i colori a tempera le statuine con stelline, quadretti, fiorellini, lineette, cuoricini, ecc....
- Alla fine, per far rimanere lucide e brillanti le vostre creazioni, passate uno strato sottile di vernicetta trasparente su tutti gli oggetti e lasciate asciugare!

Una cartolina da... Pantegana City!

Passarono i mesi.

Stavo già cominciando a dimenticare quella bizzarra avventura quando la mattina del 14 febbraio (il giorno di *San Valentino!*) Ficcanaso venne a trovarmi in ufficio.

Rosicchiando una banana, squittì: – Indovina indovina indovina chi mi ha scritto???

Poi mi lanciò un biglietto.

Io osservai incuriosito il francobollo.

Proveniva da...

indovina indovina indovina chi è???

Pantegana City

Lessi ad alta voce:

Sorrisi sotto i baffi.

Ah, l'Amore...

Indice

Geronimo Stilton

STORIE DA RIDERE
di *Geronimo Stilton*

1. Il misterioso manoscritto di Nostratopus
2. Un camper color formaggio
3. Giù le zampe, faccia di fontina!
4. Il mistero del tesoro scomparso
5. Il fantasma del metrò
6. Quattro topi nella Giungla Nera
7. Il mistero dell'occhio di smeraldo
8. Il galeone dei Gatti Pirati
9. Una granita di mosche per il Conte
10. Il sorriso di Monna Topisa
11. Tutta colpa di un caffè con panna
12. Il mio nome è Stilton, Geronimo Stilton
13. Un assurdo weekend per Geronimo
14. Benvenuti a Rocca Taccagna
15. L'amore è come il formaggio...
16. Il castello di Zampaciccia Zanzamiao
17. L'hai voluta la vacanza, Stilton?
18. Ci tengo alla pelliccia, io!
19. Attenti ai baffi... arriva Topigoni!
20. Il mistero della piramide di formaggio
21. È Natale, Stilton!
22. Per mille mozzarelle... ho vinto al Tototopo!
23. Il segreto della Famiglia Tenebrax
24. Quella stratopica vacanza alla pensione Mirasorci...
25. La più grande gara di barzellette del mondo
26. Halloween... che fifa felina!
27. Un vero gentiltopo non fa... spuzzette!
28. Il libro-valigetta giochi da viaggio
29. L'isola del tesoro fantasma
30. Il Tempio del Rubino di Fuoco
31. La maratona più pazza del mondo!
32. Il libro dei giochi delle vacanze

TOP-SELLER
di *Geronimo Stilton*

È Natale, Stilton!
Halloween... che fifa felina!

- 1000 Barzellette vincenti
- Viaggio nel Tempo
- Nel Regno della Fantasia
- 1000 Barzellette irresistibili
- Il Segreto del Coraggio
- 1000 Barzellette stratopiche

Il piccolo Libro della Pace
Una tenera, tenera, tenera storia sotto la neve
Un meraviglioso mondo per Oliver
Come diventare uno scrittore stratopico
Il piccolo Libro della Felicità
Il piccolo Libro della Natura

LIBRI PARLANTI
di *Geronimo Stilton*

1. Il castello di Zampaciccia Zanzamiao
2. L'amore è come il formaggio...
3. Quattro topi nella Giungla Nera
4. Il mistero della piramide di formaggio
5. La più grande gara di barzellette del mondo
6. Il galeone dei Gatti Pirati
7. Il segreto della Famiglia Tenebrax
8. Il fantasma del metrò
9. Una granita di mosche per il Conte
10. Giù le zampe, faccia di fontina!
11. Il misterioso manoscritto di Nostratopus
12. Un camper color formaggio
13. Il mio nome è Stilton, Geronimo Stilton
14. Il mistero del tesoro scomparso
15. Il mistero dell'occhio di smeraldo
16. Per mille mozzarelle... ho vinto al Tototopo!
17. Tutta colpa di un caffè con panna
18. Benvenuti a Rocca Taccagna
19. Un assurdo weekend per Geronimo
20. Halloween... che fifa felina!

AUDIOLIBRI MUSICALI
di *Geronimo Stilton*

1. Per mille mozzarelle... ho vinto al Tototopo!
2. Il segreto della Famiglia Tenebrax
3. Tutta colpa di un caffè con panna
4. Il misterioso manoscritto di Nostratopus
5. Il sorriso di Monna Topisa
6. L'hai voluta la vacanza, Stilton
7. Benvenuti a Rocca Taccagna
8. Un assurdo weekend per Geronimo

9. Un camper color formaggio
10. Halloween... che fifa felina!
11. È Natale, Stilton!

SUPERMANUALI
di *Geronimo Stilton*

Il grande libro delle barzellette
Il mio primo manuale di Internet
Il mio primo dizionario di Inglese

LIBRI ZAINETTO
di *Geronimo Stilton*

- L'Amicizia è...
- L'Avventura è...
- L'Allegria è...
- La Scuola è...
- Natale è...
- L'Amore è...

I MISTERI DI FICCANASO SQUITT
di *Geronimo Stilton*

1. Lo strano caso del vulcano Puzzifero
2. Lo strano caso della Pantegana Puzzona
3. Lo strano caso del Calamarone Gigante
4. Lo strano caso della Torre Pagliaccia
5. Lo strano caso degli Stratopici Dieci
6. Lo strano caso del Sorcio Stonato
7. Lo strano caso dei Giochi Olimpici

AVVENTURE ESTREME
di *Geronimo Stilton*

1. Da scamorza a vero topo... in 4 giorni e mezzo!
2. Che fifa sul Kilimangiaro!

STORIE TENEBROSE
di *Tenebrosa Tenebrax*

1. Chi ha rapito Languorina?

SEGRETI & SEGRETI
di *Pissipissy Rattazz*

1. La vera storia di Geronimo Stilton

Noi dell'*Eco del Roditore* siamo già al lavoro per pubblicare il prossimo libro, parola di Stilton...

Geronimo Stilton

Eco del Roditore

1. Ingresso
2. Tipografia (qui vengono stampati i libri e i giornali)
3. Amministrazione
4. Redazione (qui lavorano redattori, grafici, illustratori)
5. Ufficio di Geronimo Stilton
6. Pista di atterraggio per elicotteri

1
2
3
4
5
6
7
8
9
10
11
12
13
14
15
16
17
18
19
20
21
22
23
24
25
26
27
28
29
30
31
32
33
34
35
36
37
38
39
40
41
42
43
44
Fiume Topazi
Spiaggi

Topazia, la Città dei Topi

1. Zona industriale di Topazia
2. Fabbriche di Formaggi
3. Aeroporto
4. Televisione e radio
5. Mercato del Formaggio
6. Mercato del Pesce
7. Municipio
8. Castello Snobbacchiottis
9. Sette colli di Topazia
10. Stazione ferroviaria
11. Centro Commerciale
12. Cinema
13. Palestra
14. Salone dei Concerti
15. Piazza Pietra Che Canta
16. Teatro Tortiglione
17. Grand Hotel
18. Ospedale
19. Orto Botanico
20. Bazar della Pulce Zoppa
21. Parcheggio
22. Museo di Arte Moderna
23. Università e Biblioteca
24. Gazzetta del Ratto
25. Eco del Roditore
26. Casa di Trappola
27. Quartiere della Moda
28. Ristorante Au Fromage d'Or
29. Centro per la Difesa del Mare e dell'Ambiente
30. Capitaneria
31. Stadio
32. Campo Golf
33. Piscina
34. Tennis
35. Parco dei divertimenti
36. Casa di Geronimo
37. Quartiere degli Antiquari
38. Libreria
39. Cantieri navali
40. Casa di Tea
41. Porto
42. Faro
43. Statua della Libertà
44. Ufficio di Ficcanaso Squitt

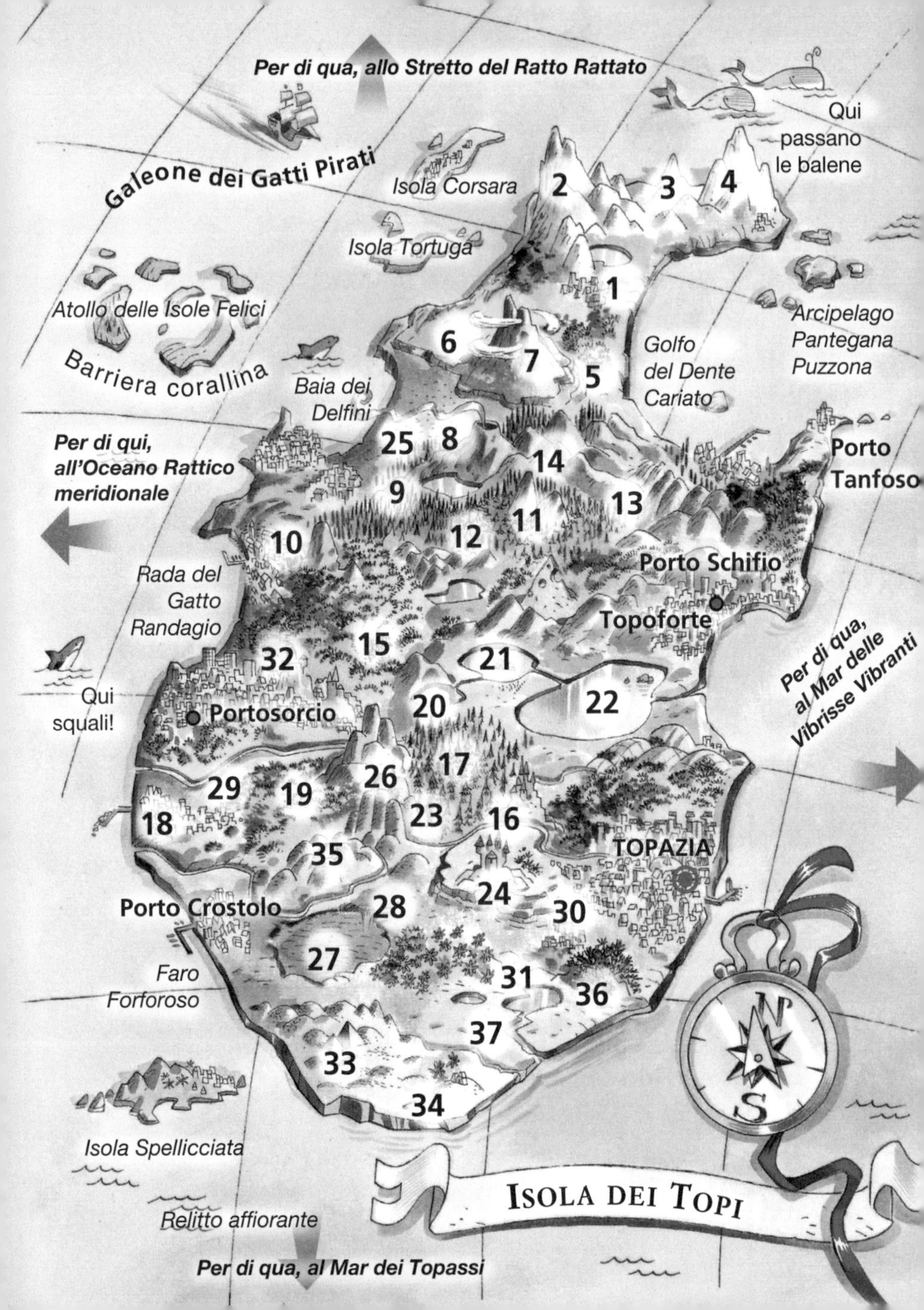
Per di qua, allo Stretto del Ratto Rattato
Galeone dei Gatti Pirati
Qui passano le balene
Isola Corsara
2
3
4
Isola Tortuga
1
Atollo delle Isole Felici
Arcipelago Pantegana Puzzona
6
7
Golfo del Dente Cariato
5
Barriera corallina
Baia dei Delfini
Per di qui, all'Oceano Rattico meridionale
25
8
Porto Tanfoso
14
9
13
11
10
12
Porto Schifio
Rada del Gatto Randagio
Topoforte
15
21
32
Per di qua, al Mar delle Vibrisse Vibranti
22
Qui squali!
20
Portosorcio
17
26
29
19
23
16
18
TOPAZIA
35
24
Porto Crostolo
28
30
27
31
Faro Forforoso
36
37
33
34
Isola Spellicciata
Isola dei Topi
Relitto affiorante
Per di qua, al Mar dei Topassi

Isola dei Topi

1. Grande Lago di Ghiaccio
2. Picco Pelliccia Ghiacciata
3. Picco Telodoioilghiacciaio
4. Picco Chepiufreddononsipuò
5. Topikistan
6. Transtopacchia
7. Picco Vampiro
8. Vulcano Sorcifero
9. Lago Zolfoso
10. Passo del Gatto Stanco
11. Picco Puzzolo
12. Foresta Oscura
13. Valle Misteriosa
14. Picco Brividoso
15. Passo della Linea d'Ombra
16. Rocca Taccagna

17. Parco Nazionale per la Difesa della Natura
18. Las Topayas Marinas
19. Foresta dei Fossili
20. Lago Lago
21. Lago Lago lago
22. Lago Lagolagolago
23. Rocca Robiola
24. Castello Zanzamiao
25. Valle Sequoie Giganti
26. Fonte Fontina
27. Paludi solforose
28. Geyser
29. Valle dei Ratti
30. Valle Panteganosa
31. Palude delle Zanzare
32. Rocca Stracchina
33. Deserto del Tophara
34. Oasi del Cammello Sputacchioso
35. Punta Cocuzzola
36. Giungla Nera
37. Rio Mosquito

Cari amici roditori,
arrivederci al prossimo libro.
Un altro libro coi baffi,
parola di Stilton...

Geronimo Stilton

ARRIVEDERCI ALLA PROSSIMA AVVENTURINA!

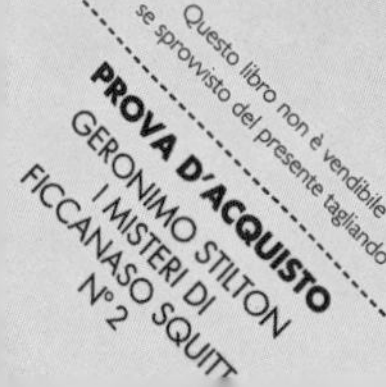